Ein Tor für David

Eine Geschichte von Imke Rudel
mit Bildern von Jan Birck

Lesestufe 2

CARLSEN

Heute ist ein toller Tag für David:
Er darf endlich in den Fußballverein.
Darauf freut er sich schon lange.
Zum Geburtstag hat David ein Paar
Fußballschuhe geschenkt bekommen.
Sie sind schwarz und weiß
und megastark.
Natürlich hat er sie gleich ausprobiert.

Zusammen mit seinem Freund Michi
hat er gegen seinen großen Bruder
Marcel gespielt.
Marcel ist schon lange im Fußballverein
und spielt super.
Das will David auch.
Marcel bringt David zum ersten Training.
Michi ist auch dabei.

3

Das Training beginnt mit dem Aufwärmen.

„Die Muskeln müssen warm werden",

sagt der Trainer.

Er heißt Sebastian und ist sehr nett.

Sebastian macht die Übungen vor.

Dann öffnet er ein Netz mit vielen Bällen.

David und Michi sollen sich einen Ball

zuspielen.

Erst mit dem Fuß.

Dann mit dem Kopf.

Danach üben sie, mit dem Ball vor den
Füßen zu laufen.
Das nennt man dribbeln.
Am Ende der Stunde gibt es ein kurzes
Fußballspiel.
David und Michi sind total begeistert.
Leider ist nur zweimal in der Woche
Training.

Aber David und Michi spielen sowieso
jeden Tag zusammen.
Manchmal machen sie auf dem
Spielplatz ein richtiges Training.
Sie spielen sich den Ball im Laufen
gegenseitig zu.
Das heißt passen.

Oder sie üben, den Ball mit dem Spann
zu spielen.
Der Spann ist die Oberseite des Fußes.
Und dribbeln trainieren sie auch immer.
Seitdem sie im Verein spielen,
sind David und Michi viel besser
geworden.

Leserätsel

Was stimmt? Kreuze an.

Davids Fußballschuhe sind:

V ☐ schwarz und weiß

X ☐ riesengroß

Z ☐ uralt

Das Laufen mit dem Ball heißt:

A ☐ drabbeln

E ☐ dribbeln

U ☐ krabbeln

Wie heißt Davids Freund?

T ☐ Marcel

R ☐ Michi

O ☐ Sebastian

Das Training beginnt mit dem Aufwärmen.
Was muss warm werden?
Ergänze die fehlenden Buchstaben.

EU	☐	der K _ kao
A	☐	die _ ehen
EI	☐	die Mu _ keln

Wenn man sich den ⚽ im Laufen
gegenseitig zuspielt, heißt das:

S	☐	küssen
N	☐	passen
M	☐	pissen

Die Buchstaben neben den richtigen
Antworten ergeben ein Lösungswort.
Es verrät dir, wo David Fußball spielt:

Im __ __ __ ___ __ !

Am Sonntag ist das erste Spiel gegen
einen anderen Verein.
David packt alle Sachen ein:
seine Hose, das Trikot, Stutzen
und natürlich seine Fußballschuhe.
Der Trainer hat gesagt:
„Wer ohne Schuhe kommt,
kann sich das Spiel
von der Bank aus ansehen."
Da klingelt Michi.
„Kommst du? Wir trainieren noch mal
bei mir im Garten."

David angelt sich schnell seine Schuhe
aus dem Rucksack
und rennt hinter Michi her.
Den ganzen Nachmittag üben sie
im Garten Torschüsse.

Abends darf David bei Michi essen.
Es gibt Pizza, sein Lieblingsessen.
Die dreckigen Fußballschuhe
ziehen die Jungen natürlich aus.
David stellt sie vor die Tür.

Der nächste Tag ist der Sonntag.

David kann beim Frühstück kaum etwas
essen.

Er fährt mit dem Bus zum Fußballplatz.

Marcel hat bei seinem Freund geschlafen.

Er hat David fest versprochen,

dass er kommt und ihn anfeuert.

Die Mannschaft trifft sich in der Kabine.

David zieht sein Trikot an.

Er hat die Nummer Vier auf dem Rücken.

David ist fast fertig angezogen,
da bekommt er einen riesigen Schreck:
Seine Fußballschuhe sind weg!
Er räumt seinen ganzen Rucksack aus.
Wo sind die Schuhe?
Da fällt es David ein:
Sie stehen bei Michi im Garten!
Ohne Fußballschuhe darf David nicht
mitspielen.
Was soll er nur tun?
Da kommt Marcel mit dem Fahrrad.
Als er hört, was passiert ist, sagt er:
„Ich bin so schnell wie die Feuerwehr!",
und radelt wie ein Wilder davon.

Leserätsel

Was braucht David unbedingt für sein erstes Spiel?

S	☐	seine Armbanduhr
T	☐	seine Handschuhe
D	☐	seine Fußballschuhe

Wo hat David die Fußballschuhe vergessen? Kreuze an und ergänze die fehlenden Buchstaben.

A	☐	Im R _ cksack
R	☐	Im G _ rten
O	☐	Im Eim _ r

Was zieht David an?

XI ☐

EI ☐

BI ☐

Wenn du bis hierhin alles richtig hast,
ergibt sich ein Lösungswort:

__ __ ___

Welche Nummer hat Davids Trikot?

__ __ __ __

Zähle die beiden Lösungswörter
zusammen. Dann weißt du,
wie alt David geworden ist:

___ + ___ = ___ Jahre alt!

David wartet ungeduldig,

bis Marcel wiederkommt.

Das Spiel hat schon angefangen.

David sitzt auf der Ersatzbank

und schaut zu.

Da endlich kommt Marcel!

Er ist ganz aus der Puste.

Aber er hat die Schuhe in der Hand.
„So ein Bruder ist echt Spitze!",
denkt David.
Schnell zieht er seine Fußballschuhe an.
Sofort wechselt ihn der Trainer ein.
Michi hat gerade einem Gegner
den Ball abgenommen.

Er dribbelt ihn in Richtung Tor.

„Abgeben, Michi!", ruft Sebastian.

David ist mit nach vorne gelaufen.

In seinen Fußballschuhen

fliegt er über den Platz.

Und zwar so schnell wie eine Rakete.

Michi kickt den Ball in seine Richtung.

Plötzlich ist das Tor genau vor David.

David zielt und schießt.

„TOOOR!"

Er hat das erste Tor für seine

Mannschaft geschossen!

„Toll gemacht, David!"

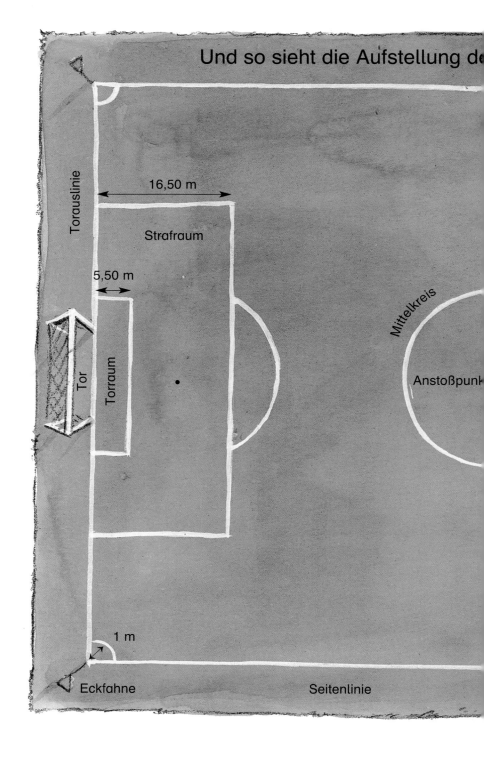

Und so sieht die Aufstellung de

Torauslinie

16,50 m

Strafraum

5,50 m

Mittelkreis

Anstoßpunk

Tor

Torraum

1 m

Eckfahne

Seitenlinie

wachsenen Spieler aus.

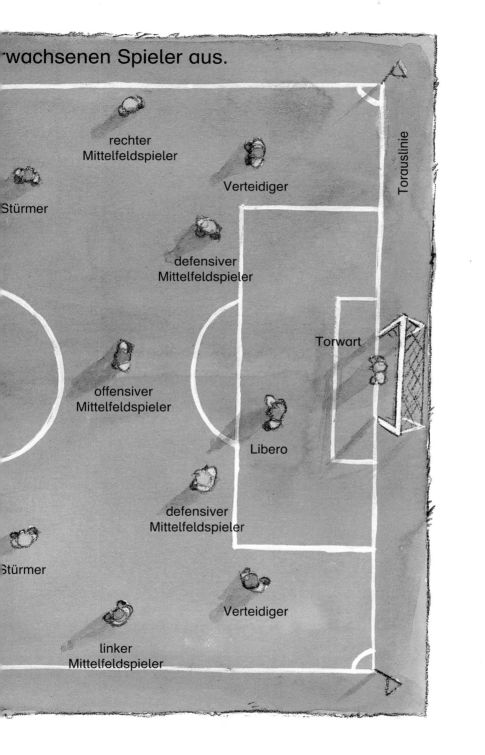

rechter
Mittelfeldspieler

Verteidiger

Torauslinie

Stürmer

defensiver
Mittelfeldspieler

Torwart

offensiver
Mittelfeldspieler

Libero

defensiver
Mittelfeldspieler

Stürmer

Verteidiger

linker
Mittelfeldspieler

Lösungen

S. 8/9:
Davids Fußballschuhe sind schwarz und weiß.
Das Laufen mit dem Ball heißt dribbeln.
Davids Freund heißt Michi.
Die Muskeln müssen warm werden.
Wenn man sich den Ball im Laufen gegenseitig zuspielt, heißt das passen.
Lösungswort: VEREIN.

S. 16/17:
Für sein erstes Spiel braucht David seine Fußballschuhe.
Er hat sie im Garten vergessen.
David zieht ein Trikot an.
Lösungswort: DREI.
Davids Trikot hat die Nummer Vier.
David ist sieben Jahre alt geworden.

2 3 06 05
© Carlsen Verlag GmbH, Hamburg 2005
Umschlagkonzeption und Illustration der Maus:
Hildegard Müller
Druck: Himmer, Augsburg
ISBN 3-551-06401-6
Printed in Germany